D1523570
KU-473-460

Feuereißen · Thüringen

Günther Feuereißen

THÜRINGEN

Landschaften · Burgen · Städte

Gondrom

Umschlagseite vorn
Wartburg in Thüringen

Umschlagseite hinten
Das kleine Dörfchen Kunitz erstreckt sich nordöstlich von Jena am Ostufer der Saale am Fuße eines Naturschutzgebietes

Bild auf Seite 2
Die Ursprünge der Leuchtenburg bei Kahla entstanden vermutlich im 10. Jahrhundert als Grenzbefestigung gegen die Slawen. Nach einer Eroberung durch Erfurter Bürger wurde die Burg im 15. Jahrhundert entsprechend der neuen Feuertechnik ausgebaut. Später diente sie u. a. als Zuchthaus. Heute wird sie touristisch genutzt.

Lithos: Karl Findl GmbH & Co. KG, Icking
Satz: Fotosatz-Studio Trübenbach GmbH, Fichtelberg
Druck: ZUMBRINK DRUCK GmbH, Bad Salzuflen
ISBN 3-8112-0860-8

Inhalt

Zum Geleit

Thüringen, das kleinste der fünf neuen Bundesländer, reicht vom Harz über den Thüringer Wald hinweg bis zum Fichtelgebirge und entstand aus den Bezirken Erfurt, Gera und Suhl der ehemaligen DDR. Seinen Ursprung hat es in dem Königreich der Thüringer um 400 v. Chr., das bis ins 6. Jahrhundert Bestand hatte. Franken und Sachsen verbanden sich damals zum gemeinsamen Feldzug gegen die Thüringer und brachten das Land in ihren Besitz. Im 11. Jahrhundert geriet Thüringen unter ludowingsche Herrschaft, und nach einem Erbfolgestreit im 13. Jahrhundert fiel es an die Wettiner. Erbteilungen zersplitterten das Gebiet in mehrere Herzogtümer, die erst 1920 wieder zum Freistaat Thüringen vereint wurden. Nach Gründung der DDR mußte sich Thüringen ab 1952 erneut der Teilung in drei Bezirke unterwerfen, die 1990 beendet wurde.

Thüringen erstreckt sich von der Goldenen Aue im Nordwesten über Kyffhäuser und Hainleite, das Thüringer Becken, den langgestreckten Thüringer Wald bis hin in das Elstergebiet. Diese vielfältigen Landschaftsformen spiegeln sich in der Besiedelung, der ansäßigen Industrie und der landwirtschaftlichen Nutzung wider. So ist die Goldene Aue und das Thüringer Becken vor allem durch Obstanbau und Ackerwirtschaft gekennzeichnet, während im gebirgigen Süden mehrheitlich Viehzucht betrieben wird. Berühmt berüchtigt ist der Kali-Bergbau im Werragebiet mit seinen schrecklichen Umweltschädigungen. Holz-, Glas- und Porzellanindustrie sind wiederum im Thüringer Wald zuhause. Dessen östliche Begrenzung bildet das Thüringer Schiefergebirge mit seinen umfangreichen Steinbrüchen bei Lehesten. Sieht man einmal von der Eisenacher Automobilproduktion, ihren Zulieferern und der optischen Industrie in Jena ab, so ist Thüringens Industrie vorwiegend klein- und mittelständisch gegliedert, was sich auch über die Periode der zentralisierten Planwirtschaft hinweg erhalten hat. Große industrielle Ballungsräume entstanden so kaum, was wesentlich dazu beitrug, daß noch vielerorts die mittelalterliche Bebauung erhalten geblieben ist, wenn auch manchmal in kläglichem Zustand.

Thüringen läßt sich nicht durchstreifen, ohne sich des Reformators Martin Luther und seiner auf der Wartburg begonnenen Bibelübersetzung zu erinnern, stellte sie doch einen Eckpfeiler der einheitlich deutschen Schriftsprache dar, auf dem schließlich auch das Schaffen der beiden bedeutendsten Dichter und Repräsentanten deutscher Literatur, Johann Wolfgang Goethe und Friedrich Schiller, fußte, deren wesentlichsten Werke in Weimar entstanden.

Die bildlichen Darstellungen dieses Bandes sind aktuelle Momentaufnahmen und fixieren den Zustand der Stunde Null der deutschen Einheit, den Verfall der Umwelt und Bausubstanz ebenso wie die liebevoll erhaltenen Kleinodien und kaum bekannten Naturparadiese abseits aller Touristenpfade. Der Umfang der Publikation schränkt die Darstellung naturgemäß ein. Ebenso verhindern Baugerüste und Kräne manche Abbildung. Der geneigte Leser möge dies nachsehen und in den Bildern eine Anregung zu eigenen Exkursionen finden.

Günther Feuereißen

Im Werratal

Im Einzugsgebiet der Itz, wenige Kilometer westlich von Eisfeld, liegt das kleine Dörfchen Bachfeld.

Das Zentrum von Schmalkalden präsentiert sich durch seine gut erhaltenen Bürgerhäuser aus dem 15.-17. Jahrhundert.

Die mittelalterlichen Fachwerkbauten in der Altstadt von Schmalkalden sind in ihrem hervorragend restauriertem Zustand eine Augenweide für Bewohner und Touristen.

NEU

Auf den Grundmauern der Festung Waltraff ließ der hessische Landgraf Wilhelm IV. 1585-90 Schloß Wilhelmsburg als Jagd und Sommersitz errichten. Die Innenausstattung stammt von dem niederländischen Bildhauer W. Vernukken und blieb erhalten. Die Außenarchitektur wurde 1820 stark verändert. Das Schloß wird heute teilweise museal genutzt.

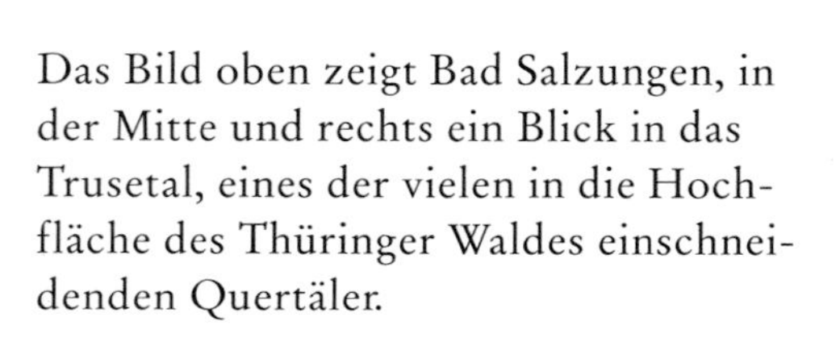

Das Bild oben zeigt Bad Salzungen, in der Mitte und rechts ein Blick in das Trusetal, eines der vielen in die Hochfläche des Thüringer Waldes einschneidenden Quertäler.

POSTAMT

Rund um den Thüringer Wald trifft
man in fast allen Ortschaften schönste
Fachwerkbauten, links Bad Liebenstein,
oben Ettmarshausen.

Etwas östlich des Werratales liegt Schalkau im Itztal. Der schiefergedeckte Kirchturm weist bereits auf die Nähe des Thüringer Schiefergebirges hin.

Die Wartburg bei Eisenach ist eine der besterhaltenen und gepflegten Burgen aus dem 11. Jahrhundert. Von der romanischen Anlage sind die Gliederung in Vor- und Kernburg, Umwehrung mit Kern des Torhauses, südlicher Bergfried und Palas in wesentlichen Teilen erhalten.
Die Wartburg war Aufenthaltsort der Minnesänger Walter von der Vogelweide, Wolfram von Eschenbach und Heinrich von Veldecke. In der Vogtei der Vorburg übersetzte Martin Luther das Neue Testament in die deutsche Sprache. 1817 forderten Burschenschaftler von der Wartburg aus die deutsche Einheit.

Die folgende Doppelseite zeigt Bachfeld, hinter dem die Südhänge des Thüringer Waldes aufsteigen.

Entlang dem Rennsteig

Von den Höhen über Steinbach-Hallenberg hat man einen Blick auf die Bergkuppen links und rechts des Rennsteiges: Mittlerer Höhenberg, Loibe und Großer Buchenberg.

Die vorhergehende Doppelseite zeigt links eine Szene am Rennsteig bei Masserberg und rechts den Blick auf Frankenhain am Fuß des 734 m hohen Siegelberges.

Das frühbarocke Schloß Friedenstein oberhalb Gothas wurde 1643-57 unter der Herrschaft Ernst des Frommen nach Entwürfen von A. Rudolphi und C. Vogel erbaut.

Im oberen Schwarzatal, südwestlich von Katzhütte, liegt das Straßendorf Oelze.

Tief eingeschnitten in die waldreichen Täler am Fuße des Großen Buchenberges (812 m) liegt die Ohre-Talsperre, deren gleichnamiger Abfluß sich in das Thüringer Becken nach Erfurt hin ergießt.

Oberhalb von Gräfenroda zähmt der Lütsche-Stausee einen der zahlreichen Zuflüsse der Wilden Gera und dient gleichzeitig der Trinkwasserversorgung. Rechts ein Blick über das Geratal hinweg auf die Höhen der Reinsberge bei Plaue.

Direkt am Rennsteig, in über 800 m Höhe, erstreckt sich Masserberg.

Im oberen Schwarzatal, einem der bekanntesten und touristisch erschlossensten Täler des östlichen Thüringer Waldes, liegt Katzhütte.

Folgende Doppelseite: Im südlichsten Teil des Thüringer Waldes, am noch schmalen Lauf der Werra, liegt Sachsenbrunn.

Oberhof liegt im Zentrum des Thüringer Waldes und ist vor allem durch seine Wintersportmöglichkeiten weithin bekannt. Von hier aus sind es nur noch wenige Kilometer bis zur höchsten Erhebung des Thüringer Waldes, dem 982 m hohen Großen Beerberg.

In luftiger Höhe, am 868 m hohen Kieferle, klettert Steinheid empor.

Zu den großartigsten Zeugnissen romanischer Baukunst gehört die Ruine der Klosterkirche Paulinzella, deren prächtige Säulenbasilika 1124 fertiggestellt wurde. Nach der Reformation verfiel das Kloster und wurde bis ins 18. Jahrhundert als Steinbruch genutzt. Erst Mitte des letzten Jahrhunderts sind Langhaus- und Vorhallenreste gesichert worden.

Die Bilder dieser Seiten geben Stimmungen von den Höhen des Thüringer Waldes wieder, oben bei Siegmundsberg, unten bei Masserberg und rechts oben am Siegelberg.

Die nächste Doppelseite zeigt links den winterlich vereisten Wald am Rennsteig, rechts Steinbach-Hallenberg mit der Burgruine aus dem 13. Jahrhundert.

Durchs Thüringer Becken

Die vorhergehende Doppelseite bietet einen Einblick in das Thüringer Becken bei Herrenhof und auf die Stiftskirche St. Severie zu Erfurt.

Die Landeshauptstadt Erfurt ist die an historischen Kirchen reichste Stadt der neuen Bundesländer. Außerdem bietet sie trotz einiger Kriegszerstörungen und dem teilweisen Verfall der letzten Jahre ein nahezu einmaliges Bild mittelalterlicher Großstadtstruktur. Unten die Marktstraße mit der Allerheiligenkirche, rechts Bürgerhäuser am Domplatz und auf den folgenden Seiten die Krämerbrücke.

außer
Versorgungs-
fahrzeuge
KABARET
KASSE
Traum
reise

Am Kreuzsand in Erfurt war der Platz offensichtlich so gering, daß man die Häuser über der Gera errichtete.

Durch den über Industriestädten fast immer schwebenden Smog grüßt die Alteburg von Arnstadt.

Am Fuße der Wachsenburg (Seite 56) liegt Holzhausen, ein unbedeutendes Dorf, daß dennoch über eine eindrucksvolle Fachwerkarchitektur verfügt.

Vom 1553-60 errichteten Schloß Neideck in Arnstadt ist heute nur noch der 65 m hohe Turm mit Barockhaube übrig. Das Renaissanceschloß stürzte 1779 ein.

Zum Schutze der Handelsstraße von Thüringen nach Franken entstand im 11. Jahrhundert die Burg Gleichen. Im 13. Jahrhundert verkehrten Graf Siegmund und sein Nachbar, Raubritter Apel Vitztum auf der Wachsenburg, diese Aufgabe jedoch ins Gegenteil und raubten die Erfurter Kaufleute aus. 1631 starb das Geschlecht der Gleichen aus, und die Burg zerfiel.

Die Wachsenburg soll 986 zum Schutz kirchlichen Grundbesitzes errichtet worden sein. Sie wechselte häufig ihre Besitzer und war Pfandobjekt. 1451 vertrieben Erfurter Kaufleute den Raubritter Apel Vitztum von Apolda. Ende des 19. Jahrhunderts verlor die Burg durch Umbauten viel von ihrer einst romanischen Architektur.
Das Residenzschloß der Weimarer Herzöge war ursprünglich die Wasserburg Hornstein in Weimar, deren Turm und Bastille noch heute erhalten sind.

1720-32 errichteten J. A. Richter und G. H. Krohne den Kernbau des Barockschlosses Belvedere im Auftrag des Weimarer Herzogs Ernst August. Es enthält heute ein Rokokomuseum.

1740 wurde Schloß Belvedere durch Kavaliershäuser und Wirtschaftsgebäude zu einem prächtigen Komplex nach französischem Vorbild entwickelt.

An der Saale

Remschütz bei Saalfeld

An der Mündung des Rottenbaches in die Schwarza liegt der Luftkurort Bad Blankenburg.

Saalfeld ist durch seine Feengrotten, naturfarbene Tropfsteinhöhlen, weithin bekannt. Zudem birgt die Innenstadt mittelalterliche Stadtbefestigungsanlagen und Bürgerhäuser.

Die vorhergehende Doppelseite zeigt rechts Kahla und links die Dornburger Schlösser. Das Alte Schloß entstand im 16. Jahrhundert auf den Grundmauern einer romanischen Kaiserpfalz. Das Renaissanceschloß wurde 1539 anstelle eines Gutshauses errichtet. Das mittlere Rokokoschlößchen erbaute G. H. Krohne auf einer fünfeckigen Bastion.

Auf dem südlichen Saaleufer nahe der Unstrutmündung entwickelten sich im 11. Jahrhundert zwei Siedlungskerne: Altstadt und Domfreiheit, das heutige Naumburg. Der Bau der spätromanischen Domkirche St. Peter und Paul begann um 1210 und erstreckte sich bis in das 18. Jahrhundert.

Seite 68: Die Weinbaustadt Freyburg an der Unstrut wird von dem Schloß Neuenburg überragt. Der Baubeginn war um 1060. Die mächtige Anlage ist durch zwei Vorburgen gesichert. Seit dem 15. Jahrhundert wurden mehrfache Umbauten vorgenommen.

Seite 69 oben: Das Barockschloß Heidecksburg über Rudolstadt entstand im 18. Jahrhundert anstelle eines abgebrannten Renaissanceschlosses auf den Grundmauern noch früherer Anlagen. Seite 69 unten: Die Burg Greifenstein bei Bad Blankenburg entstand im 12./13. Jahrhundert. Im 16. Jahrhundert verlor sie ihre Bedeutung und durch den Bau der Heidecksburg ihren Rang als Residenz. Die bereits verfallenen Anlagen wurden 1831 und 1927 teilweise wiederaufgebaut.

Zwischen Dornburg und Camburg, weitab von den Verkehrsströmen, versteckt sich Wichmar am Saaleufer.

Folgende Doppelseite: Nur eine Schlucht trennt Saaleck von der Rudelsburg, die 1172 entstand. Sie mußte mehrere Erstürmungen über sich ergehen lassen und erlitt im Dreißigjährigen Krieg schwerste Beschädigungen.

Bei Bad Kösen nahe Naumburg befindet sich das Kloster Schulpforte. 1137 begann der Kirchenbau. Bis um 1300 folgten mehrere Erweiterungen und Umbauten in frühgotischem Stil. Ab 1544 war das Kloster Fürstenschule.

Zum Schutz der Handelsstraßen von Frankfurt nach Leipzig und von Nürnberg nach Merseburg wurde 1050 die Burg Saaleck auf einem 180 m hohen Muschelkalkfelsen errichtet. Während der Reformation wurde die Burg herrenlos und verfiel.

DEUTSCHE
POST

Die Camburg wird 1116 erstmals als Besitz der Markgrafen von Meißen erwähnt und schützte die Holzflößerei auf der Saale. Sie wurde 1451 bei Auseinandersetzungen bis auf den 37 m hohen Bergfried geschleift.

Zu Füßen der Dornburger Schlösser erstreckt sich Dorndorf an der Saale.

Die folgende Doppelseite zeigt Kunitz nahe Jena.

Das 600 m bis 800 m hohe flachwellige Schiefergebirge schließt südöstlich an den Thüringer Wald an und stellt die Verbindung zum Frankenwald her. Von Effelder aus sind seine Höhen gut zu überblicken.

Das Thüringer Schiefergebirge

Steinach liegt im gleichnamigen Tal und ist besonders durch seine Glas-, Spielwaren- und Christbaumschmuckherstellung bekannt.

Am 801 m hohen Rauhhügel erstreckt
sich Schmiedefeld.

Kunstporzellanherstellung beherbergt das unscheinbare Lippelsdorf im Quellgebiet der Loquitz.

Theuern ist in die ausgleitenden Höhen des Schiefergebirges gebettet, Rauenstein dagegen, im Bild rechts, klettert an den Talhängen empor.

30

Im Piesautal liegt das Städtchen Lichte
mit seiner Porzellanindustrie.

Vor den dunkel bewaldeten Höhen des Schiefergebirges erhebt sich die kleine Kirche von Rauenstein.

Die folgende Doppelseite zeigt links Mengersgereuth-Hämmern und rechts das nur wenige Kilometer entfernte Lauscha, besonders bekannt durch seine Glasbläser.

Vor der Kulisse des Schiefergebirges
breitet sich Effelder aus.

Rund um die Saaletalsperren

Die größte zusammenhängende künstliche Binnenwasserfläche der neuen Bundesländer bilden die Saaletalsperren. Auf Seite 97 erhebt sich der erhalten gebliebene spätgotische Wohnturm der Burg Ziegenrück über das Saaletal.

Links präsentiert sich Ziegenrück mit seiner Stadtkirche aus dem 14. Jahrhundert unterhalb des Burgberges, unten ist herbstliche Ruhe auf der Bleiloch-Talsperre eingekehrt.

Kaulsdorf liegt im Saaletal nahe der Loquitzmündung.

Die Bilder der nächsten Seiten vermitteln einen Eindruck von der Hohenwarte-Talsperre.

Nur selten ist ein Ortsname treffender: Reitzengeschwenda, südlich der Hohenwarte-Talsperre.

Quer durchs Orlagebiet

Seite 107 zeigt Triptis, welches im Quellgebiet der Orla liegt. Daneben grüßt die Burg Ranis von einem hohen Fels.

Auf den östlichen Höhen des Orlatales liegt Hummelshain.

Zwischen Pößneck und Orlamünde erstreckt sich der landschaftlich schönste Teil des Orlatales. Im Bild unten Steinbrücken bei Neustadt.

Seite 112 zeigt das Dörfchen Schweinitz bei Pößneck. Daneben präsentiert sich die aus dem 11. Jahrhundert stammende Burg Ranis über dem gleichnamigen Ort.

Die Schleizer Seenplatte

Das Zentrum der Schleizer Seenplatte liegt um den kleinen Ort Plothen herum. Die meisten Teiche dienen der Fischzucht und sind von nahezu unberührter Schönheit. Nur bei Plothen selbst gibt es in geringem Umfang Tourismus. Auf den Dämmen zwischen den teils kleineren, teils größeren Seen kann man stundenlang wandern.

Im Thüringer Vogtland

Die vorhergehende Doppelseite zeigt links Landschaften zwischen Schleiz und Auma, rechts das Dorf Unterkoskau.

Im 14. Jahrhundert übernahm das Fürstenhaus Reuß das Schloß Burgk und baute es zur Residenz aus. Weitere Umbauten erfolgten im 16. und 18. Jahrhundert. Heute ist die gesamte Anlage Museum.
Oben ein Blick auf Rödersdorf bei Schleiz.

Noch gibt es solch unberührte dörfliche Idylle in Thüringen. Links Langenbach bei Mühltroff, rechts Rödersdorf.

Flach wellig erstreckt sich die Landschaft bei Pöllwitz zwischen Pausa und Zeulenroda.

Den Motorsportfreunden ist das Schleizer Dreieck als Auto- und vor allem Motorradrennstrecke gut bekannt. Architektonisch wertvoll sind die Burgreste (Bild oben) und die Bergkirche romanischen Ursprungs. Im Mittelalter erfolgte ein Neu- und Umbau mit prächtigen Dekorationen.

Das Tal der Weißen Elster

Die vorhergehende Doppelseite zeigt das aus dem 16. Jahrhundert stammende Rathaus von Gera.

Die Bürgerhäuser am Markt aus dem 18. Jahrhundert sind wie mehrere Straßenzüge im Innern der ehemaligen Bezirksstadt in den letzten Jahren restauriert worden.
Vom Schloß Osterstein, der Residenz der Reuß-Fürsten, ist heute nur noch die barocke Orangerie erhalten.

BAYERISCHE VEREINSBANK
FRÜCHTE - TIGER
BODENSEE

Schloß Osterburg zu Weida war Vogtssitz. Ursprünglich eine romanische Burg, wurde sie im 15. Jahrhundert umgebaut und nach einem Brand im 17. Jahrhundert erneuert. Der mächtige Bergfried ragt 73 m hoch auf.

Im Elstertal zwischen Greiz und Wünschendorf finden sich einsam liegende Bauerngehöfte wie hier Neuhammer bei Neumühle.

HS
1739
No 31

Am westlichen Elsterhang nahe Berga erstreckt sich das Dorf Tschirma, bestehend aus mehreren nahezu unveränderten Bauernhöfen aus dem 18. Jahrhundert.

Elsterwehr in Neumühle

Berga an der Elster wird von einer mittelalterlichen, kläglich verfallenen Schloßanlage überragt. In besserem Zustand befindet sich die um 1825 erbaute Pfarrkirche.

Dies ist weder eine Filmkulisse noch ein Bauernmuseum: Gesehen im Sommer 1990 bei Greiz.

Greiz war einst Residenzstadt der Vögte von Weida, was sich in zahlreichen Prunkbauten ausdrückt. Überragt wird die Stadt von einer mittelalterlichen Befestigungsanlage, 1540 nach einem Brand im Renaissancestil wiedererrichtet. Den als Landschaftspark gestalteten ehemaligen Rokokogarten krönt das klassizistische Sommerpalais. Das Elsterufer (Bild unten) säumen Bürgerhäuser.

Die älteste und größte Holzkastenbrücke der neuen Bundesländer überspannt mit 70,5 m die Weiße Elster in Wünschendorf. Sie wurde 1786 anstelle einer durch Eisgang zerstörten Vorgängerin erbaut.